RATUS POCHE

COLLECTION DIRIGÉE PAR JEANINE ET JEAN GUION

En plus de l'histoire :
– des mots expliqués pour t'aider à lire,
– des dessins avec des questions
pour tester ta lecture.

● ● ● ● ● ● ● ● ● ● ● ● ● ● ●

© Hatier Paris 1994, ISSN 1259 4652, ISBN 2-218 05748-4

Le mariage de l'abominable pou

Une histoire de Hugues Royer
illustrée par Sofi

HATIER

LES PERSONNAGES DE L'HISTOIRE

Germain

Minus et Goliath

Annabelle la fiancée d

Victor le pigeon voyageur

Alex l'abominable pou

Luce la puce

1

C'est l'été. Germain le chien aime dormir à la belle étoile. Il s'est assoupi dans le potager, sous la lune, bercé par le chant des grillons. Luce, la petite puce, ne quitte jamais le dos de son ami le chien. Elle voudrait dormir, mais Germain ronfle trop fort.

– Arrête de ronfler ! lui dit-elle de sa petite voix.

– Rrrrr… Rrrr… continue le chien.

S'il y avait un championnat pour les dormeurs, Germain aurait le premier prix !

Tout à coup, Luce entend un bruit étrange : quelque chose a bougé dans l'herbe.

– J'ai peur ! Réveille-toi ! murmure-t-elle à l'oreille de son ami.

Mais le chien ne bouge pas d'un poil.

Soudain, trois petites ombres bondissent sur le dos de Germain. Un doigt crochu montre Luce et une vilaine voix s'écrie :

– C'est elle ! Il me la faut !

C'est la voix d'Alex, l'abominable pou. Luce l'a reconnue et se cramponne au collier de Germain en tremblant. Mais les deux compères d'Alex l'attrapent, puis la ligotent avec un brin d'herbe. La pauvre puce est paralysée de peur. ₂

– Emmenez-la ! ordonne Alex tout bas, pour ne pas réveiller Germain.

Le plus costaud des poux prend Luce sur son épaule. Et tous les trois partent sur la pointe des pattes, en effaçant leurs traces derrière eux.

Ils sont loin quand le jour commence à se lever. Les deux poux qui accompagnent Alex sont ses esclaves. Celui qui porte Luce est fort ₃ et laid : c'est Goliath. L'autre est petit et peureux : c'est Minus.

– C'est encore loin, le royaume ? fait Minus. J'ai plein d'ampoules à force de marcher. À quoi ça sert, de ramener cette puce ?

– Grâce à Luce, je vais devenir le roi des poux, répond Alex.

– Roi des poux ? Comment cela ? demande Minus.

– Tu poses trop de questions pour un esclave !

– Moi aussi, j'aimerais savoir, fait Goliath.

– C'est un secret… Alors ne le répétez pas : d'après la loi des poux, celui qui épousera une puce deviendra Roi des poux. Car ses enfants seront parfaits : forts comme les poux et beaux comme les puces…

– Les puces sont donc plus belles que les poux ? demande Goliath en grimaçant.

Pourquoi Alex a-t-il enlevé Luce ?

– Bien sûr, idiot ! Mais nous sommes plus forts !

– Mais que va devenir le vrai roi ? demande Minus.

– Il est parti en voyage. Qui va à la chasse, perd son trône ! fait Alex en ricanant.

– J'ai mal aux pattes, se plaint Minus.

Alex le regarde en haussant les épaules :

– Une vraie puce, celui-là !

Il fait grand jour, maintenant. Et notre petite troupe n'est plus très loin du royaume des poux. Soudain, une brigade de gendarmes bondit de derrière une touffe d'herbe et barre la route aux poux.

– Halte-là ! ordonne le chef des gendarmes.

– Aïe, aïe, aïe ! Surtout, laissez-moi faire, chuchote Alex à ses esclaves.

Minus et Goliath jurent de ne rien dire.

– Qui transportez-vous ? Vous avez une autorisation ? demande le chef des gendarmes.

– C'est une méchante puce, fait Alex. Elle est recherchée par la police.

– Alors, nous l'embarquons ! Au trou, dans le grand chêne !

Il fait signe à ses collègues de s'emparer de Luce. Mais Alex ne veut pas que son trône lui échappe.

– Attendez ! fait-il. C'est une mission secrète. J'obéis aux ordres de quelqu'un de très important !

– Avez-vous un papier qui le prouve ? questionne le chef des gendarmes.

– Bien sûr que non, fait Alex en clignant de l'oeil. Si j'avais un papier, ce ne serait plus un secret !

Le chef des gendarmes se gratte la tête. Les paroles d'Alex lui semblent logiques.

– C'est vrai, fait-il, vous pouvez passer. Bonne route ! ajoute-t-il en faisant un salut de gendarme.

Les poux continuent à marcher. Ils l'ont échappé belle ! Pour se donner du courage, Minus et Goliath chantent :

– Un centimètre à pied, ça use, ça use, un centimètre à pied, ça use les souliers !

Réveillée par la chanson, Luce ouvre les yeux.

– Où suis-je ? murmure-t-elle timidement.

Puis elle pousse un cri en apercevant Alex qui lui fait son plus beau sourire :

– Encore cet horrible pou !

Alex grimace :

– Tu peux faire la difficile ! dit-il en se frottant les mains. Je t'épouserai quand même.

– C'est un cauchemar ! dit Luce. Je préfère

Qu'a fait le chef des gendarmes ?

mes beaux rêves…

Et elle s'évanouit aussitôt.

– Quand elle cause, c'est toujours pour m'insulter ! dit Alex en tapant du pied.

Pendant ce temps-là, Germain fait un drôle de rêve. Un énorme pou a enfermé de tout petits chiens dans une cage à oiseaux. Il est noir comme le diable et leur montre ses vilaines dents. Il souffle très fort sur la cage. Résultat : les pauvres bêtes s'envolent comme des feuilles dans le vent…

Germain se réveille en sursaut :

– Ouf ! fait-il en ouvrant les yeux. Ce n'était qu'un vilain cauchemar.

Il bâille longuement et appelle Luce pour lui raconter son histoire.

– Ohé, ma puce. Tu as bien dormi ?

Voyant qu'elle ne répond pas, il demande :

– Tu veux encore rester au lit ?

Ce silence inquiète Germain. Luce est timide, mais très polie : elle répond toujours quand on lui parle.

– Si tu es là, gratte-moi l'oreille ! demande le chien.

Comme personne ne le chatouille, il se lève et promène partout sa truffe pour trouver le parfum de sa puce. Mais il ne renifle aucune trace. Une grosse larme lui coule sur le museau.

– Elle m'a quitté ! Jamais je ne me consolerai…

2

Luce est bien loin de Germain, maintenant. Les poux l'ont emmenée dans leur royaume. Où se cache ce royaume ? Au fond d'un zoo, dans le poil d'un vieil ours prénommé Oscar. Grâce à leur petite taille, les poux entrent et sortent du zoo comme ils veulent. Le gardien ne les voit même pas !

– Qu'il fait froid ! proteste Minus en entrant dans la grotte de l'ours. Je vais attraper un rhume !

– Tais-toi, esclave ! crie Alex en escaladant le vieil ours.

Oscar est un endroit rêvé pour un royaume. À cause de ses dents usées, il ne ferait pas de mal à un pou. Son poil ne sent pas très bon,

ses yeux n'y voient plus beaucoup. Et on n'a jamais vu d'ours aussi tranquille que lui.

– Qui est cette prisonnière ? demande-t-il.

– C'est une invitée, répond Alex.

– Ne mens pas ! Je devine tout. Personne ne doit être maltraité sur mon dos.

– C'est promis ! fait Alex.

Mais l'abominable pou n'a pas de parole. Il est prêt à tout pour prendre la place du vrai roi et monter sur le trône des poux.

Quelle bousculade dans le royaume ! Les poux ne savent pas rester en ordre ! Ils circulent dans tous les sens en se marchant sur les pattes. Le trône est installé sur la tête d'Oscar. Les poux importants sont au chaud sous son ventre. Les dames poux pouponnent leurs bébés sous ses oreilles, à l'abri du vent. Quant aux esclaves, ils se tassent sur le dos de l'ours, à l'endroit le plus dur. Il n'y a pas d'école, et les enfants poux ont de très mauvaises manières. Ils n'arrêtent pas de tirer la langue !

Soudain, une demoiselle pou se présente devant Alex. C'est Annabelle, sa fiancée. Elle est très coquette et aussi très jalouse. Quand elle aperçoit Luce, elle fait les gros yeux :

– Qui c'est, celle-là ? demande-t-elle.

– Euh… fait Alex tout rouge. Rien qu'une toute petite puce.

– Tu me caches quelque chose ! crie Annabelle, en tapant du pied.

Mais le pou ne trouve rien à répondre. Il est bien ennuyé pour Annabelle, mais il a très envie de devenir Alex Ier, Roi des poux. C'est Luce qu'il doit épouser.

– Je le saurai, je le saurai ! hurle Annabelle en sortant.

– Pauvre Annabelle ! fait Minus à son maître. C'est elle qui devait être ta femme.

– Je ne l'épouserai pas. Entre l'amour et la couronne d'un roi, j'ai choisi !

Le bruit réveille la petite puce. Alex se penche sur elle.

– Encore cet affreux pou ! s'écrie-t-elle.

– Tu es ma prisonnière ! fait Alex en ricanant. Et demain, tu seras ma femme !

– Jamais ! dit Luce. Je ne t'aime pas !

Alex est très en colère. Les mauvaises paroles, ça le rend méchant.

– C'est moi qui décide ! Je t'épouserai, que tu le veuilles ou non ! hurle-t-il en gesticulant.

Minus n'a jamais vu son chef aussi furieux. Pourvu qu'il ne fasse pas de mal à Luce ! Comment faire ? La seule solution est de tout dire à la fiancée du pou.

Filant en douce, il va aussitôt trouver
Annabelle.

– Alex veut épouser la puce, lui dit-il tout bas.

– Le traître ! enrage Annabelle. Je vais lui
botter les fesses !

– Hélas ! Il est trop fort pour toi.

Soudain, les yeux du petit pou s'éclairent :

– J'ai une idée ! Il faut vite prévenir le chien.
C'est l'ami de la puce. Pour aller jusqu'à lui,
il n'y a qu'à demander à Victor le pigeon.

– Bravo ! dit Annabelle en embrassant Minus
de joie. Ne perdons pas une minute.

Les deux poux sautillent jusqu'à l'oreille du
vieil ours et Minus lui demande :

– Sais-tu où se trouve Victor, le pigeon
voyageur ?

– Je vous l'appelle, répond Oscar. C'est un
vieil ami.

L'ours siffle alors un drôle d'air. Et aussitôt, on voit dans le ciel un gros pigeon, bruyant comme un hélicoptère, qui vient se poser sur la tête de l'ours.

– Cette fois, j'ai bien atterri ! dit-il. Où allons-nous ? Et qui sont les passagers ?

– Deux poux très gentils, répond Oscar.

– Des poux ? Sur moi ? Tu veux rire !

– Le voyage ne sera pas très long…

– Oh, mais ! Je n'accepte pas n'importe qui ! Je tiens à ma réputation, moi ! dit le pigeon en gonflant ses plumes. ¹⁰

Mais Oscar a plus d'un tour dans son sac. ¹¹

– Si tu transportes ces poux, tu seras un héros, car cette mission est très délicate.

Victor se gratte la tête avec le bout de l'aile.

– Un héros… Tu dis ?

– Oui, un vrai héros ! Et tu seras sûrement décoré, ajoute le vieil ours.

Qui va transporter Annabelle et Minus ?

– Dans ce cas… C'est d'accord : je les emmène.

Tout joyeux, Minus et Annabelle remercient Oscar.

– Ce n'est rien, dit modestement le vieil ours. Filez !

Minus tremble car il n'a encore jamais voyagé sur un pigeon, mais Annabelle le pousse sur le dos de Victor.

– Attention au décollage ! dit le pigeon. Accrochez-vous !

Et, d'un coup, il s'élance : sa queue frôle la paroi de la grotte. Au passage, il perd quelques plumes, puis gagne le ciel. Minus est vert de peur.

3

Victor adore voler très haut dans le ciel. Annabelle en profite pour admirer le paysage.

– Regarde ! fait-elle à Minus. D'ici, les maisons sont toutes petites !

Mais le pou ferme les yeux, à cause du vertige. Soudain, Victor traverse un gros nuage.

– Au secours ! crie Minus. Je suis aveugle !

– Idiot ! dit Annabelle. Ce n'est qu'un nuage.

En sortant du nuage, le pigeon s'est un peu perdu. Il a besoin d'un guide et demande à Minus de lui indiquer la route.

– J'ai peur du vide, répond le petit pou.

Annabelle le force à regarder en bas. Mais le pauvre pou perd l'équilibre et tombe.

– Au secours ! crie-t-il en tourbillonnant dans le ciel.

Heureusement, Victor est un as de l'aviation.

– Accroche-toi ! crie-t-il à Annabelle.

Après avoir fait demi-tour, il se laisse tomber en piquant du nez, dépasse Minus dans sa chute et le récupère de justesse en se redressant, à quelques mètres du sol.

– Ouf, sauvé ! souffle Minus qui n'a jamais eu aussi peur.

– Qu'aurions-nous fait sans toi ? dit Annabelle. Tu es le seul à savoir où nous allons.

Victor regagne les hauteurs. Minus se cramponne à ses plumes et lui indique le chemin.

Soudain, il aperçoit le jardin de Germain :

– C'est là ! Tu vas pouvoir te poser !

– Accrochez-vous ! fait Victor.

Comment Victor le pigeon a-t-il sauvé Minus ?

Il descend en freinant le plus possible avec ses pattes. Mais il est emporté par son poids et vient heurter un arbre. Quel choc ! Les deux poux sont éjectés. Heureusement, ils atterrissent en douceur dans le cœur d'une marguerite. Là, un méchant bourdon les chasse : 13

– Hors de ma vue, sales poux ! C'est ma fleur !

– Avec plaisir ! répond Annabelle. Elle sent mauvais, ta fleur !

Et elle saute par terre, suivie de Minus.

Germain a entendu le choc du pigeon contre l'arbre. Il accourt en aboyant, car il se méfie des intrus : 14

– Ouaf ! Ouaf ! Ouaf !

Victor se relève et titube comme un boxeur 15 qui aurait reçu un gros coup de poing.

– Ouaf ! Ouaf ! aboie encore Germain, étonné par ce drôle de pigeon.

– C'est le chien que nous cherchons, dit Minus.

Les deux poux s'avancent vers lui par petits bonds. Soudain, Minus s'arrête net et regarde Annabelle :

– Et s'il était méchant ?

Annabelle hausse les épaules et siffle pour appeler Germain :

– Eh ! toi, le chien !

Germain tourne la tête et grogne en apercevant les deux poux :

– Arrière ! Je déteste les poux !

Minus saute dans les bras d'Annabelle en claquant des dents.

– Nous sommes des amis, dit Annabelle.

– Je n'ai plus d'ami, répond Germain, depuis que Luce est partie...

– Elle n'est pas partie, fait Minus en se remettant sur ses pattes. Elle a été enlevée !

Nous savons où elle est.

Comme par magie, Germain retrouve son sourire.

– Alors, elle ne m'a pas quitté ! dit-il, soulagé. Il faut vite la délivrer !

– Nous pourrions monter sur ton dos, propose Annabelle.

– Il faudra vous laver avant ! ordonne le chien.

Minus fait la grimace. Les poux ont horreur de se laver. Ils préfèrent vivre dans la saleté. Mais Annabelle ne veut pas qu'Alex épouse Luce. Elle est prête à faire un effort, pour cette fois.

Avec sa grosse patte blanche, Germain montre aux poux une petite flaque d'eau claire. Les poux y trempent à peine leurs doigts de pied.

– C'est froid ! fait Minus. Et ça sent

horriblement le propre !

Les deux insectes font trempette, sans se laver.

– Il faut vous mouiller en entier, leur dit Germain. Et vous frotter !

– Quel déshonneur pour un pou ! pense Minus.

Mais ils obéissent au chien qui les surveille.

– C'est fini ! fait le chien. Allons-y. Sautez vite sur mon dos.

Germain s'approche du pigeon qui a retrouvé ses esprits :

– Tu vas nous guider jusqu'au royaume des poux, dit-il.

– Avec joie ! s'écrie Victor. C'est reparti !

Et il s'élance dans le ciel comme une flèche.

– Moins vite ! aboie Germain, qui démarre derrière lui à toute vitesse.

Que doivent faire les deux poux ?

Mais Victor n'a rien entendu. Il continue à filer, libre comme l'air. Germain n'a jamais couru aussi vite.

Soudain, il traverse une grande route. Une voiture l'évite de justesse ! Par chance, elle a freiné à temps.

– La terre est plus dangereuse que le ciel, pensent les poux qui ont eu très peur.

Victor survole maintenant la forêt, ce qui oblige Germain à se glisser entre les arbres et les épines.

– Aïe ! crie-t-il quand son poil se prend dans les ronces.

Mais il continue, courageux, pour ne pas perdre la trace de Victor.

4

Voilà enfin Germain sorti de la forêt. Le zoo n'est plus très loin. Victor doit atterrir mais, une fois de plus, il a du mal à s'arrêter. Pris par son élan, il fonce droit sur la cabine du gardien !

– Freine ! lui crie Germain.

Trop tard ! Le pauvre pigeon se cogne contre la vitre. Le gardien sursaute.

– Qui va là ? fait-il. Un pigeon fou ?

Il voit arriver Germain, la langue pendante.

– Halte-là ! crie-t-il. Les chiens ne sont pas admis dans le zoo !

Essoufflé, Germain dit alors gentiment :

– Euh… je suis venu voir un vieil ami…

– Alors, il faut payer ta place ! fait le gardien

en tapant du poing sur son comptoir.

Mais Germain n'a pas d'argent. Il n'en a pas besoin, puisque ses maîtres lui achètent sa pâtée.

– Tu n'as même pas assez pour un demi-tarif ? demande le gardien.

Germain fait « non » avec la tête.

– Alors, retourne d'où tu viens !

Le pauvre chien recule, la queue basse.

– Ne te laisse pas faire ! s'énerve Annabelle. Tu es un chien, bon sang ! Montre-lui les dents et fonce à l'intérieur ! Regarde, la grille est ouverte…

– Je n'oserai jamais…

– Quel empoté, ce chien ! dit Annabelle. Si tu aimes Luce, tu dois m'obéir !

Germain prend alors sa figure la plus méchante et montre les crocs.

– Grrr ! Grrr ! grogne-t-il.

Comment Germain fait-il
pour entrer dans le zoo ?

– Au secours ! hurle le gardien. Ce chien est enragé !

L'homme se fait tout petit dans sa cabine. Germain en profite pour s'élancer par la grille ouverte.

Pendant ce temps, sur la tête du vieil ours endormi, Alex s'apprête à épouser Luce.

-- Alex, acceptez-vous de prendre Luce pour épouse, et de devenir Roi des poux ? demande le maire.

– Oh oui ! répond Alex.

– Et vous, Mademoiselle Luce, voulez-vous épouser Alex ?

– Jamais ! répond la puce d'une voix ferme.

– Tu n'as pas le choix ! fait Alex. C'est le mariage ou la prison à vie !

Luce tremble de tout son corps et se met à pleurer.

– Alors… je suis obligée d'accepter, dit-elle en baissant les yeux.

À ce moment-là, Germain arrive dans la grotte du vieil ours.

– Oh ! fait Annabelle. C'est trop tard ! Ils sont mariés !

– C'est impossible ! aboie Germain.

Alex se retourne et reconnaît Germain.

– Elle est à moi, maintenant ! fait-il en lui tirant la langue.

Luce regarde son ami chien d'un air triste.

– Il fallait arriver plus tôt, pleure-t-elle.

5

Soudain, une libellule apparaît dans le ciel. C'est l'avion personnel du vrai roi des poux. Il rentre de voyage.

– Qui s'est permis de s'asseoir sur mon trône ? demande-t-il avec une grosse voix.

– Le nouveau roi, c'est moi ! fait Alex en s'accrochant au trône. C'est la loi : je viens d'épouser une puce.

Ce remue-ménage a réveillé le vieil ours. Il bâille et dit à Alex :

– Tu n'as pas lu la loi en entier. Pour devenir roi, il faut aussi que le vrai roi soit mort.

– Je suis bien vivant ! fait le roi en croisant les bras. Alors le mariage est annulé ! Rends-moi mon trône !

Qui est finalement le roi des poux ?

– Non ! fait Alex. Je veux être le roi des poux !

– La loi, c'est la loi, dit calmement Oscar.

Furieux, l'abominable pou veut frapper Minus :

– Toi, traître, tu vas me le payer !

Mais Goliath protège le petit pou. Décidément, Alex n'a pas de chance : même ses esclaves se révoltent.

– Je me vengerai ! fait-il, avant de disparaître dans le poil d'Oscar.

– Attends-moi ! crie Annabelle en lui courant après.

D'un bond, Luce saute sur Germain.

– Je suis libre ! s'écrie-t-elle, joyeuse.

On voit alors arriver Victor le pigeon qui se pose en catastrophe.

– C'est la panique dans le zoo ! dit-il à Germain en se relevant. On recherche partout un chien enragé.

– Vous partirez demain matin, dit le roi des poux à Luce et à Germain. Dans la grotte d'Oscar, vous serez tranquilles.

– Merci, votre Altesse ! répond Germain en saluant le roi.

Le roi s'assoit sur son trône. La nuit tombe doucement. Et tout ce petit monde s'endort sous la lune.

POUR T'AIDER À LIRE

1

dormir **à la belle étoile**
Dormir dehors, la nuit.

2

ils la **ligotent**
Ils l'attachent.

3

un **esclave**
Une personne qui n'est
pas libre et qui doit obéir
à un maître.

4

Au trou !
En prison !

5

la **truffe**
Le bout du museau
du chien.

6

il n'a **pas de parole**
Il ne tient jamais
ses promesses.

7

en **gesticulant**
Alex fait des gestes
dans tous les sens.

8

filant en douce
Minus part vite,
sans qu'on le voie.

9

elle **enrage**
Elle est très
en colère.

10

tenir à sa **réputation**
Vouloir que les autres
pensent du bien de soi.

11

avoir **plus d'un tour
dans son sac**
Être malin.

12

il le **récupère de justesse**
Il le rattrape au dernier
moment.

13

un **bourdon**
Insecte un peu plus gros
qu'une abeille.

14

un **intrus**
Une personne que
l'on n'attend pas et que
l'on ne souhaite pas voir.

15

il **titube**
Victor marche en zigzag.

7-8 ans

Les autres titres de la collection

BONNES RÉPONSES

16 - 20 - 21 - 26 -
- 3 - 4 - 9 - 11 -

Tu es un super-lecteur si tu as trouvé
ces 8 bonnes réponses !

Mise en pages JOSEPH DORLY
Couverture Jean-Yves Grall

Imprimé en France par Pollina, 85400 Luçon - n° 67231 - C
Dépôt légal n° 09613 - Mars 1995